11

Ayano Yamane

Inhaltsverzeichnis

Triggerwarnung:

Das Kapitel »Der Tag, an dem Akihito Takabas Kürbispudding verschwand« (Seite 175-193) enthält explizite Darstellungen von sexuellen Handlungen und Anspielungen auf sexualisierte Gewalt, die Leser*innen beunruhigend finden könnten. Wenn du sensibel auf diese Themen reagierst, lies dieses Kapitel bitte nicht.

Die Hauptcharaktere

Akihito Takaba

Ein freischaffender Fotograf, der auf Asami trifft, als er Skandalfotos eines Abgeordneten macht. Er gibt auch in misslichen Lagen nicht klein bei, bleibt stets optimistisch und lässt sich durch nichts entmutigen. Er geriet in einen Vorfall, bei dem ein Pop-Sternchen gestalkt wurde. Nachdem er von ihrem Fan verfolgt wurde, landet er als Schmarotzer in Asamis Wohnung. Er ist nun für den gesamten Haushalt zuständig. Seine Kochkünste können sich seiner Meinung nach sehen lassen. Nach dem Angriff auf Asamis Wohnung durch die russische regierungsfeindliche Organisation Chernobog versteckt er sich in einem Tempel in den Bergen, doch sein Versteck fliegt auf und der Tempel wird niedergebrannt. Um weiteren Schaden zu verhindern und um Asami wiederzusehen, begibt er sich mit Feilongs Hilfe nach Hongkong. Als er Asami endlich wiedersieht, beweisen sie sich noch einmal ihre Liebe.

»Von jetzt an werde ich dich beschützen! Ganz gleich, was uns in Zukunft noch erwartet!«

Ryuichi Asami

Nach außen hin ist er ein erfolgreicher U nehmer und Besitzer exklusiver Klubs un tels. Doch sein wahres Gesicht ist das Unterwelt-Machthabers mit großem Ein bei den Entscheidungsträgern der politis und wirtschaftlichen Welt im In- und Aus Die Hintergründe seines Aufstiegs und s seine Herkunft sind bisher völlig unbek Einerseits wirkt er kaltherzig, beschützt der anderen Seite aber seine Untergebe die sich jederzeit für ihn opfern würden. sticht nicht nur sein Genie, sondern auch kühles und elegantes Aussehen unweige ins Auge.

Durch Sudos Verrat erlitt seine Organis großen Schaden, denn er verfügt über fangreiches Wissen. Um sie neu zu strukt ren, bereist Asami verschiedene Orte au ganzen Welt. Schließlich finden er und Ak wieder zusammen! Er beschließt, Akihit wieder wegzuschicken und bereitet sic den finalen Kampf gegen Chernobog vor.

»Ich werde dich nie wieder wegschic Darum weich auch du nicht mehr von meiner Seite, Akihito!«

Feilong Liu

Das Oberhaupt von Hongkongs Mafia »Baishe«. Er ist äußerst gerissen und ein ziemlich guter Kampfkünstler. Zwar hatte er Akihito mal als Geisel genommen, doch ohne es zu merken, hat er Vertrauen zu ihm gefasst. Weil Chernobog in Macau sein Unwesen treibt, wendet er sich an Michel und beauftragt ihn mit der Vernichtung der Organisation. Als Belohnung verbringt er eine Nacht mit ihm. Er wird von Chernobog geschnappt, kann aber zusammen mit Michel entkommen. Die beiden brechen auf, um Chernobog auszulöschen.

Michel Albatof

Steht an der Spitze der russischen Mafia. Früher stritt er mit Asami und Feilong um die Kasino-Vorrechte in Macau. Sakazaki bittet ihn, Sudo Obhut zu gewähren. Als er erfährt, dass Sudos Geschäftspartner Chernobog ist und er von Feilong mit deren Vernichtung beauftragt wird, schreitet er zur Tat. Kurz darauf kontaktiert ihn sein verschollener Onkel Yuri. Es stellt sich heraus, dass Yuri Chernobog angehört. Um sich von ihm loszusagen, begibt sich Michel in den Kampf.

Shu Sudo

Er war Manager des exklusiven Klubs Dracaena, zu dem nur Mitglieder Zutritt haben. Der Klub gehört Asami, jedoch empfand Shu mehr für ihn als nur für einen Vorgesetzten. Seine unerwiderten Gefühle brachten ihn um den Verstand, bis er Asami schließlich hinterging. Um sich zu rächen, zweigt er Waffen von Asamis Organisation ab und versucht, sie der russischen regierungsfeindlichen Organisation Chernobog zu verkaufen, doch der Deal platzt. Nun wird er von Chernobog und Asami gejagt. Sein derzeitiger Aufenthaltsort ist unbekannt.

FINDER

Pray in Abyss
In einem Vorort von Macau
Das hier ist das verlassene Gebäude, von dem Sudo sprach?
Aaron, diese Infos stammen von einem Kerl, den du versäumt hast zu töten.
!
Das könnte eine Falle sein. Seid vorsichtig!
SCHRRT

Will-
kommen!
Ich habe
euch schon
erwartet.
Abyss

Pray in
Kapitel 31

KRIEK
Habe Sichtkontakt zum Ziel!
Es ist das alte, stillgelegte Gebäude, korrekt?
Wir werden die Lage checken gehen.

Hör zu!
Was auch immer Sudo im Schilde führt, wir holen uns die Ware um jeden Preis zurück.
Zu Befehl!

TSCHACK

Asam
Was soll ich tun?

Du bleibst hier.
Ich lasse jemanden zu deinem Schutz da.

Akihito, du bist doch Fotograf.

Du gehörst nicht zu meiner Organisation. Für dich gibt es hier nur eines zu tun.

Nämlich les, was sich ier ereignet, mit deinen Augen zu bezeugen.

Ich sagte doch, ich würde es dir zeigen. Damit meinte ich unsere Welt.

...!

Wend
niema
den Bl
von m
ab.
Geht klar ...
Guter Junge.

Sieh zu, dass du heil zurück-kommst!
Sonst verzeihe ich dir das nie!

Schwöre
es mir!

Boss!

Kirishima, wie sieht es drinnen aus?

Ich lasse das Innere gerade auskundschaften. Ein Teil wurde anscheinend instand gesetzt und wird als Lager genutzt.

Es ist niemand zu sehen, aber das ist erst recht verdächtig.

BIEP

Eine Nachricht für den Boss!

!

Wir haben die Ware gefunden!

Das ist zweifellos unsere Fracht!
Sieht aus, als wären die Infos von Sudo korrekt gewesen.

...
Bringen wir die Ladung schleunigst von hier weg.
Jawohl!
Wartet!
Hier sind Spuren von Kampfstiefeln! Sie sind noch ganz frisch!
Da war wohl schon jemand vor uns hier.

Da...
Das waren hoffentlich nicht ...
BLAMM
...!!
DOSCH
WAPP
Feind-licher Angriff!
Entfernt euch von der Ladung und schwärmt aus!

PENG
PENG
...!
Von oben ...?
WRATSCH
...!

Der ist Russe!

...!

Dann gehört er wohl zu dem Kerl mit der Narbe ...

!!

RATATAMM

RATATATATAMM

RATATATA TAMM

Es hat angefangen ...

Bereust du diese Entscheidung wirklich nicht?

...
Willkommen!
Ich habe euch schon erwartet!
Sudo ... Dass du di traust, un unter die Augen zu treten!
Das gebe ich genauso an dich zurück, Aaron.
Hmpf! Dafür, dass du nicht verreckt bist, hast du meinen Respekt.
Dein Tod ist aber nicht genug, um das Problem aus der Welt zu schaffen.
Das reicht jetzt! Sag uns, mit welcher Absicht du uns kontaktiert hast! Ist unsere Vereinbarung noch gültig?
Natürlich. Ich bringe euch dahin, wo die Ware gelagert wird. Vorausgesetzt, ihr erfüllt mir eine Bitte.
Aha? Und die wäre?

Ich habe den Fundort des Schatzes auch meinem ehemaligen Boss mitgeteilt.
Er wird sicher bald da sein, um ihn zu holen.
Ich möchte, dass ihr ihn und seine Leute plattmacht.
Da sind wir selbstverständlich dabei.

Sie solle sich gege seitig aus dieren!
Geht alle drauf! Lasst keinen übrig!
Ha ha ha ha!
Sudo
Er ist durchge- dreht ...
PENG
PENG
PENG

PENG
PENG
PENG
Sichert den Fluchtweg! Wir ziehen uns vorläufig zurück!
TSCHACK
Ver- standen!
BIEP
Wir sind in der Nähe des Eingangs und haben das Feuer erwidert!
Unsere Gegner scheinen das Gebäude umstellt zu haben!
RA
TA
TA
TA
TAMM
Was ist los?!
Argh...!
Wir sind umzingelt?

Wer hat gesagt, dass wir bereits aufgeben?!

Alle, die sich noch bewegen können, sollen mit mir kommen!

KRIEK
KRIEK
KRIEK
PENG
PENG
PENG

Wer wagt es, sich in meine Revier eine Schießerei zu liefern?!

...?!

Herrje ... Warum kanns du nicht auf di Verstärkung warten?

Wa...?! Das ist doch ...?!
Was macht der denn hier?!
PENG
PENG
!

Asami ...?!
Ah... Hey!
Warte, Feilong! Das ist gefährlich!
Du lebst also noch.
Dank einer gewissen Person hätte ich beinahe ins Gras gebissen.

Als ich hörte, dass der Hubschrauber abgestürzt sei, dachte ich, diesmal war's das für dich.

Du bist wirklich ein zäher Kerl.

Akihito ist auch wohlauf, nehme ich an?

Es war wirklich knapp.

Du bist mer ein nig nachlässig.

BAMM

!!

Das ist nicht der richtige Moment für eine unbeschwerte Plauderei!

Ganz genau, Michel!
Spielt ihr drei Familie? Du bist immer noch ein Kind.
Yuri
Du elender ...!

Die Waren hier werden wir mitnehmen. Natürlich nachdem wir euch beseitigt haben.
Sieh nicht auf mich herab, du krankes Schwein!
Diesmal mache ich dich kalt!
Michel ...!
ASCH
ZASCH
Dieses Gesicht ... Den Kerl hatte ich doch bei dem Vorfall auf dem Kasino-Schiff versenkt, oder nicht?
Yuri Albatof ist wohl einfach nicht totzukriegen. Momentan gehört er einer russischen regierungsfeindlichen Organisation namens Chernobog an.

Nun wis
wir, wer e
dich abg
hen ha
Dann verpasse ich ihm eben ein weiteres Mal den Gnadenstoß.
Verfolgen wir den Trottel, der vorgeprescht ist. Das hier ist seine Lagehalle.
PEN
PENG
PENG
Michel ist offenbar dort hinaufgerannt.

AMM
SCHRECK
SPRING
!!

Pray in Abyss
Da oben! Hinterher!
!
SST
Asami! Ich halte dir den Rücken frei! Kümmere dich um den Kerl!
Alles klar!

BAMM
BAMM
Du kannst nirgendwo mehr hin, Yuri!

Pray in Abyss
Kapitel 32

RA
TA
TA
TAMM
Schü...
Schüsse?!

Hey! Da gibt's ein Schießere
Ja, sieht so aus. Es war also tatsächlich eine Falle.
Wi... Wir müssen ihnen helfen!
Dummkopf! Du bist schön brav und wartest im Auto!
Sollte dir was zustoßen, kann ich den Boss nie wieder unte die Augen treten!
BATAMM
U... UWA AAAH!

Wa...
Was ist
los?!
KLACK
Sorry. Mich verstecken und gehorsam abwarten ...
das kann
h einfach
nicht.

Du sagst, du willst sie mir zeigen ...?
Aber nur zuzuschau-en reicht mir nicht mehr.
Ich habe mich ent-schieden.
Ich will dich beschüt-zen.

Verräter erwartet der Tod!
Mach dich bereit zu sterben, Yuri!
Ach, jetzt reg dich doch nicht so auf!
Hier wird uns niemand stören. Unterhalten wir uns in Ruhe.
Es gibt schon lange nichts mehr zu bereden!

PENG
PENG
PENG
Hey! Baller nicht wild herum wie ein Teen-ager!
Du musst hierhin zielen!
BAMM

...
Ich habe dich zu einem Mann gemacht!
Dachtest u, du wärst mir ewachsen? Na , mein Bein ist zumindest ein Handicap.
Was soll dieser aufmüpfige Blick?
Du verstehst mich falsch. Wenn ich dir das Licht ausknipsen wollen würde, hätte ich das schon im Versteck getan.
Wenn ich etwas erkannt habe, seit ich die Familie verlassen habe ...
... dann, dass du an meine Seite gehörst.

Du hast die bestmögliche Ausbildung genossen, aber im Moment bist du nicht viel besser als diese Halbstarken.
Ich werde dich noch einmal von vorn drillen.
Komm zu mir, Michel!
Keiner liebt dich so sehr wie ich!

Laber keine Scheiße!
Hmpf.
Dann ist es eben nicht zu ändern.
Du bist einfach widerlich, du perverser alter Sack!
SCHWUPP
!

Nimm das Messer, Michel!
Das hier reicht mir völlig, um dich fertigzumachen.
KLADONK

Soll mir recht sein!
Damit werde ich dir ...
... deine grinsende Fratze abziehen!
DASH

PENG
PENG
RA
TA
TA
TAMM
RATA
TAMM
RA
TA
TA
TAMM
Wir müssen sie schnell aus dem Weg räumen und zum Boss eilen!
RA
TA
Sch...
TA
TAMM
Scheiße! Wie viele sind das denn noch?!

Geht's dir gut, Brillen-schlange?
?!
BAMM
BAMM
A... A... A... Akihito Ta-kaba!
Wa... Was hast du hier zu suchen?! Du solltest doch im Wagen warten!
Was ist mit deinem Aufpas-ser?!
Ach ...
Der hat plötzlich Bauchweh bekommen ...
Wie bitte?!

Übrigens wo ist As mi ...?
Ist er nicht bei dir?
RA TA TA TA TAMM
...!
Der Boss ist hinter de Feind her u die Treppe rauf!
PENG
Wir folgen ihm, sobald wir hier aufgeräumt haben!
PENG
Und du gehst jetzt schleunigs zum Wagen zurü...
...
STILLE
Wo bist du hin, Akihito Takaba?!

Oben also ...
PENG
PENG
PENG

WRATSCH
...!!
DOMP
Endlich können wir dieser lästige Angelegenhe ein Ende setzen.
Hi ...

Hervor-
ragend!
Einfach
herrlich!
Dass ich mal die Gelegen-heit bekomme, Ryuichi Asami kaltzumachen!
!
Hi hi hi!

Er hat mich also absichtlich hergelockt ...
RA
TA
TA
TA
TAMM
PACK

!!
Glaubst du wirklich, Gesindel wie du wäre in der Lage, mich umzubringen?

PENG
PENG
Scheiße! Aaron!
Egal! Kümmert euch nicht um mich!
Schießt!

BANG
BANG
BANG
BANG
!
SPRING
Du entkommst uns nicht mehr!

Ich ste-
cke in der
Klemme ...

WUSCH
Schei-
ße ...
TROPF
TROPF

Was ist los, Michel?
Mehr hast du nicht drauf?
SCHLEC
Schnauze!
Du hirnloser Muskelprotz ...!
SWUSCH
Aha.
Aus meinem toten Winkel ...

KLING
Aber das ist immer noch zu lasch!
KICK

BAMM
Stirb!

WHACK
GRINS
DOSCH

BAMM
Ich habe
gewonne
Michel!
SPUCK
PAC
Bleib einfach dein Leben lang meine Marionette.
!

Lieber sterbe ich, als deine Marionette zu werden!
Fahr zur Hölle, du perverses Dreck-schwein!
GRINS
Dann stirb!

WHACK
...!
Letztes Kapitel
Pray in Abyss

Hi hi ... Dein Ausdruck ist so erregend wie eh und je.
SST
Dachtest du wirklich, ich töte dich?
Solange du in meinem Besitz bist, wird die Organisation und auch alles andere mir gehören!
..!

Pray in Abyss
Letztes Kapitel

RA
SPLITTER
KRACKS
TA
TA
?!
TA
TA
Wir kriegen Besuch.

Es wird wohl Zeit fü den Rück-zug.
ZERR
Komm, Michel!
!!
La... Lass mich los!
FLAPP
FLAPP
Den Großteil der Waffen haben wir längst wegge-bracht. Dort kommt ihr nicht mehr an sie ran.
Sudo verlangte zwar, dass wir Asami kaltma-chen ...
... aber wir haben, was wir wollten, und somit gibt es hier nichts mehr für uns zu tun.

FLAPP
FLAPP
FLAPP
BANG
BANG
Was?!
DOMP

BANG
BANG
...!
TSCHING
Mist! Geh erst mal auf Abstand!
Feilong ...!

Ach, du bist das nur? Und ich dachte, ich hätte endlich Asami eingeholt.
Ganz schön fies! Das Ach, du bist das nur?« hättest du dir sparen können!
WAPP
KICK
Lass deine Waffe rüberwachsen, Feilong!

SRRT
TSCHACK
...!
Kannst du mich wirklich erschießen ...
... Miche...

BANG
Du sagtest ja, ich solle auf diese Stelle zielen, nicht wahr ...
... Onkel?!

DOMP
Bin ich nicht ein guter Junge? Ich habe bis zum Schluss deine Anweisungen befolgt.
War ich dir im Weg?
Nein, du hast mich gerettet. Danke.

FLAPP
FLAPP
FLAPP
Für Sentimentalitäten haben wir jetzt wohl keine Zeit, was?
Wenn wir hierbleiben, sind wir ein perfektes Ziel für den Hubschrauber.
Gehen wir!
Ja!
RA TA TA TA TA TA
RA TA
TAMM

Du stehst mit dem Rücken zur Wand, Asami!
WAPP
BANG

RA
TA
Geht nicht zu nah ran!
Bleibt auf Abstand und zwingt ihn mit Dauerfeuer in die Knie!
TA
TAMM
WRATSCH
RATSCH

Das sieht nicht gut aus ...
Ich werd's wohl nicht mehr lange machen ...
»Sieh zu, dass du heil wieder zurück kommst!«
»Sonst verzeihe ich dir das nie!«

Hff...
Wo bin ich denn mit meinen Gedanken ...?
BANG
BANG
BANG

Hierher!
?!
...!
Diese Stimme ...?!
Was ist los?!
Feindliche Verstär-kung?!
!

BAMM
BAMM
BAMM
Gyah!
Ugh ...

BANG
BANG
BANG

Asami ...!

Bist du verletzt?

Akihito …!

Was machst du hier?!

Na … Na ja …

Als die Ballerei losging, habe ich mir Sorgen gemacht …

Du solltest doch im Wagen warten!

Ich wollte dir helfen!

Das war leichtsinnig!

Das weiß ich selbst!

Aber ich hab dich tatsächlich gerettet, oder?
WUSCHEL
Nichts als Ärger mit dir ...

RUMS
?!
RA
TA
TA
TAMM
...!
Wir wer-
den vom Hub-
schrauber be-
schossen. Das
ist übel.
Gehen
wir, Asami!
BRÖCKEL

RA
TA
TA
TATA
TAMM
BLAMM
WANK
!
Asami ...?!

Hä ...?
Akihito!
WAPP

Asa...
mi ...
Akihito ...

Ich
liebe
dich.

Endlich ...
Endlich konnte ich Ryuichi Asami eigenhändig töten!

Geschafft!
Ich hab's geschafft!
Ha ha ha ha ha!

GROLL
ゴゴゴ
GROLL
ゴ
...
Asami ...
Asami! Das darf nicht wahr sein!
Öffne ... Öffne deine Augen! Asami!

GRO
Asamiiii!
KRACK
!!
GROLL

Asami, ich liebe dich auch!

Lass uns für immer zusammen sein.

Auch wenn uns unser Weg bis zum Boden des Abgrunds führt ...

Pray in Abyss - Ende

After
Pray in Abyss

RA
TA
TA
!!
TAMM
Wir sind geliefert! Der Heli hat uns mit seiner automatischen Zielsuche erfasst.
Wir müs-sen uns im Schatten eines Ge-bäudes ...
POFF

BUMM
Herr Feilong ...!! Sind Sie unversehrt?!
Da seid ihr ja endlich!
Ihr habt uns gerettet!
KRACK
KRACK

Ihr seid Asamis Leute, stimmt's?
Wo ist er? Ist er nicht bei euch?!
Fei-long ...
Also ... Herr Asami ist immer noch im Gebäude ...
öglicher-eise auch Akihito Takaba ...
KRACK
!!
KRACK
Es stürzt ein ...!

Asami!
Akihito!
Bitte sucht sofort nach den beiden!
Bevor das Gebäude komplett einstürzt!
Jawohl!
Wo bist du?!
Herr Feilong! Hierher ...!
!!

WUPP

Ich habe schon wieder von jener Nacht geträumt ...
Herr Feilong ...
Hatten S wieder ei unruhige Schlaf?
War es ein Albtraum?
Tao.

Ja ... Aber es geht schon wieder. Habe ich dich geweckt?
Herr Feilong ... Seit einer Weile haben Sie kaum geschlafen.
Sie können mir gern alles anvertrauen.
Falls sie Kummer haben ...
Es ist eben viel passiert in letzter Zeit ... Mein Schlaf ist nicht sehr tief.
Ach ja. Würdest du mir bitte einen Kräutertee machen?

Gern.

Ich bringe Ihnen sofort eine Tasse.

PADAMM

...

Er erzählt mir einfach nichts ...

Weil er mir nichts zutraut ...

OPEN
QUIEH

...!
Feilong ...?!
Was trinkst du?
Bourbon ...
KLIRR

Wenn du alleine trinken willst, kommst du oft in diese Bar.
So viel habe ich in Erfahrung gebracht.
Hah! Vor dir ist kein Geheimnis sicher!
n Hongkong geschieht nichts, ohne dass ich davon weiß.
KLING
Bitte sehr.
Aha. Und? Warum bist du hier?
Hast du mich so sehr vermisst, dass du es nicht mehr ausgehalten hast?
Stimmt.
?!
Hä? Im Ernst?!

Kannst du auch nicht mehr schlafen?
!
Die Bilder, wie ich Yuri die Stirn durchlöche-re, tauchen jede Nacht in meinen Träumen auf.
Egal wie oft ich ihn erschieße, er erwacht immer wieder zum Le-ben. Ein wahrer Albtraum.

BAMM
Scheiße!
Dabei bereue ich es kein bisschen!
Selbst im Tod macht mich der Kerl noch rasend!
Es ist für niemanden ein angenehmes Gefühl, einen Verwandten zu töten.
Da spricht wohl jemand aus Erfahrung.
Na ja, früher oder später wird es nur noch einer von vielen schmutzigen Jobs sein.

Und du?
Ich habe in letzter Zeit einen leichten Schlaf.
Warum?
Vielleicht, weil ich mich alleine im Bett einsam fühle.
Hä?
Michel ...
Würdest du mir dabei helfen, einzuschlafen?
...!

RUMS
Hah ...
Hah ...

RITSCH
Tut mir leid ...
Ich fürchte, heute schaffe ich es nicht, zärtlich zu sein.

Das passt ja.
Ich bin heute nämlich auch nicht in Kuschelstim-mung.
WAPP
...!
BEISS

TSCHUPP
TSCHUPP
...!
Feilong ...
FLUTSCH

SCHIEB
...?!
Wenn du mit diesem Blick so was Geiles machst ...
... halte ich es nicht mehr aus!
BOFF

AUSZIEH
Ugh ...
SCHIEB
Das ist noch zu fr...!

PAMM
PAMM
...!
Kh ...
Ugh ...
Hn ...
AMM
Uuh ...

Ah ...
...
Mehr ...!
Härter ...!
STOSS
Okay!
SCHAUDER
Ah ...

Feilong …?
Oh Mann …
Er ist wirklich wie eine Katze …

Hospital

SRRT

BIEP
Gu Mor Akih
Heute hast du eine gesunde Gesichtsfarbe.
Bin ich ein bisschen zu früh dran?
BIEP
Draußen ist es schon ziemlich kalt geworden.
Wenn du aufwachst, wirst du bestimmt überrascht sein.
BIE
Wie lange willst du denn noch schlafen, Akihito?

ICU
Würden Sie mir bitte auf-machen?
!
Bitte sehr.
BIEP
BIEP
BIEP

BIEP
BIEP
DRÜCK
Bei dir ist auch noch alles beim Alten.
Ihr beide seid mir wirklich ...

An jenem
Tag ...

Wolltest ihr diese Welt in Wahrheit gemeinsam verlassen?
Aber ...
... das werde ich auf keinen Fall zulassen.
KLAMMER
Ich werde derjenige sein, der dich umbringt! Darum öffne bitte deine Augen!

ZUCK
BIEP
BIEP

Pray in Abyss

Innocent Eyes

EMERGENCY
Okay. Los geht's!
M 18 SMOKE GRENADE
KLONK
RI
RI
RI
RI
RING
RUMS

Was war das?! Eine Explosion?!
RI RI RI RI RING
Schnell! Bringt die Patienten nach draußen!
KLICK
KLACK
Ryuichi Asamis Zimmer liegt ganz hinten im obersten Stock.
Seine Bodyguards sind bewaffnet, also seid vorsichtig!
RI RI RI RI RING
605

...?!

Sind sie etwa tot ...?
Hey, hierher!

Die wurden schlafen gelegt!

Er wird doch nicht ...?!
SRRT
Wohin ist Asami verschwun-den?!
Sucht ihn!
SRRT
Ich bin gekommen, um dich ab-zuholen ...
... Sudo.

Na gut, dann wollen wir mal!
KLATTER
Mist ...!
Hrmm ...
RITSCH
Hey, Sakazaki! Komm mal her!
Steht der da ir-
gendwie in Beziehung zu Asami?
!

Akihito
Takaba
...?

es

Innocent
Ey

Fünf Monate später ...
SCHMUS
SCHMUS
MIAAAU
Mh ...

TOCK
TOCK
KLACK
Du bist wach, Ryuichi?

Miau
Rion!
Hier hast du dich versteckt?
Ich war nicht wach. Die da hat mich geweckt.
Versperr die Katzenluke in der Tür!
KLACK
MAUNZ
Bitte? Kommt nicht infrage. Niemand hat das Recht, die Freiheit einer Katze einzuschränken.
Aber meine Freiheit darf eingeschränkt werden?
Selbstverständlich. Ich n dein Bruder, uch wenn wir erschiedene Mütter haben.
Lass den Quatsch! Ich habe keine Familie.
Wie auch immer du darüber denkst, du gehörst zur Familie.
Es bereitet uns Probleme, wenn du ewig deinen eigenen Kopf durchsetzt und dich amüsierst.

Komm in die Organis tion zurüc Ryuichi!
Das ist der Wunsch unseres Vaters.
Wie oft muss ich es noch sagen? Ich werde nicht zurückkehren!
Lass mich lieber endlich gehen, Maxim!
Wem hast du es wohl zu verdanken, dass du noch lebst?
Offenbar haben irgendwelche Typen das Krankenhaus in Hongkong angegriffen, direkt nachdem ich dich dort rausgeholt hatte.
Dann lass mich wenigstens telefonieren!
Nein. Wenn du erfährst, was draußen los ist, wirst du sicher nicht mehr stillsitzen können.
KLACK
Verhalte dich für den Moment einfach still und schlaf!

Mist ...
PADAMM
Seit der Auseinandersetzung in Macau ist schon ein halbes Jahr vergangen.
Was ist danach mit Akihito passiert? Lebt er noch?
Oder ...?
Mir war egal, was aus mir wird, solange ich ihn beschützen kann.
Warum habe ich dann als Einziger überlebt und liege hier gemütlich im Bett?!

Im Augenblick habe ich nicht die Kraft, von hier wegzugehen.
Wenn ich wenigstens mit Kirishima Kontakt aufnehmen könnte ...!
Akihito ...!
Kannst du schon wieder gehen?
!

Ça va?
(Wie geht's?)
Ist lange her, Ryuichi!
Alex ...?
Bist du das?
Ja.

Ich freue mich, dass du dich an mich erinnerst.
Was machst du hier? Sag bloß, du bist jetzt Maxims Gefolgsmann?
Vorläufig ja ... Aber ich war genauso überrascht.
Hätte nie gedacht, dass derjenige, der als Söldner mit mir gemeinsam gekämpft hat, ausgerechnet der Sohn jener Familie ist.
Nur wer auf dem Schlachtfeld war und überlebt hat, wird von ihm anerkannt.
Er würde keine Miene verziehen, wenn ich draufgehe.
Wie bei den Löwen, was?
Hey, gib mir auch eine!
Das war leider die Letzte.
Dann eben die.

Wenn's sein muss.
Da!
Merci.
Alex, darf ich dich um noch etwas bitten?
Was denn?

Tokyo ...
Ryuichi Asami Büro des Präsidenten
Herr Stellvertretender Präsident Kirishima.
Es geht um das gemeinsame Projekt mit der Handelsgesellschaft Naito.
Hätten Sie einen Moment?
Ah, tut mir leid. Bitte schicken S die Unterlagen p Mail. Ich sehe si mir später an.
Verstanden.
TACK
TACK
PADAMM
Puh ...
Es ist fünf Mona her, seit Herr Asa aus dem Kranken haus in Honkon verschwunden ist
Seitdem fehlt jede Spur von ihm ...
RRRING
Was macht er und wo befindet er sich im Moment?
!

Eine ausländische Nummer …?
Ja, bitte?
Kirishima?
Boss! Sie sind wohlauf?! Wo sind Sie?!
Tut mir leid, dass ich mich nicht melden konnte. Ich sitze zurzeit in Maxims Anwesen in Kroatien fest.
Wie ist die Lage bei euch?
Hören Sie zu, Boss!
Akihito Takaba wurde …

RUMS
!!
Was ist denn los, dass ihr nicht mal anklopfen könnt?!
Alexandre, was soll das?!
Tu... Tut mir leid ...
Maxim!
Vor fünf Monaten ist Akihito Takaba aus dem Krankenhaus in Hongkong verschwunden!
Du hast ihn nicht zufällig mit mir zusammen hierhergebracht?
Takaba? Wer soll das sein? Der Name sagt mir nichts.
Also doch ... Wie sollte er auch von ihm wissen ...?

Ah! !
Maxim!
Lass mich sofort gehen! Ich habe keine Zeit für Diskussionen!
Du richtest eine Waffe auf mich?
Das Spiel ist vorbei.
Na schön. Mach, was du willst.

Warum begleitest du mich, Alex?
Ich kann dich nicht alleine lassen. Du kannst dich doch kaum bewegen.
Dafür kannst du mir helfen, einen neuen Job zu finden.
RRRRING
Oh.
RRRING
Kirishima
Kirishima!
Ich stelle es
So kanns
direkt mit
reden
Kirishima, ich bin's.
Boss! Mich hat soeben die Information erreicht, dass Akihito Takaba aufgegriffen wurde!
!
Die Einzelheiten schicke ich Ihnen per E-Mail!

...?!
Warschau ...?
Gdynia
Olsztyn
Bialystok
Warszawa
Kielce
Kraków
Wrocław
Zakopane
Ostrava
Ich konnte allerdings noch nicht verifizieren, ob die Informationen stimmen.
Laut Feilong könnte es auch eine Falle Ihrer Feinde sein.
Egal. Wir fliegen sofort dorthin!

WARSAW POLICJA
Polizeirevier in Warschau, Polen
Sie sind uns eine große Hilfe. Bis auf seinen Namen wollte er nichts sagen. Wir wussten nicht weiter.
Hier entlang bitte.
POLICJA
KLACK

A...
Asami
...!

Asami ...!
Asamiii ...!
Jetzt ist alles wieder gut.
Akihito ...!

Hast du dich beruhigt?
Ja.
Entschuldige.
Was in aller Welt ist denn passiert? Wie kommst du hierher?
Diese Stadt liegt 8.000 Kilometer von Hongkong entfernt.
Das weiß ich auch nicht so genau.
Irgendjemand hat mich verschleppt und ich war die ganze Zeit in einem Raum eingesperrt.

Auf ein- mal lag ic ohnmächt mitten in d Stadt.
Die Polizei hat mich aufge- griffen, aber ich habe kein Wort verstanden.
Akihito wurde verschleppt? Aber von wem?
Will mich jemand herauslocken? Waru hat derjenige Akihit dann freigelassen?
Es ist wohl wirklich eine Falle ...
SST

Ich hatte solche Angst ... Ich dachte, ich würde dich nie wiedersehen!
!
Ich bin so froh, dass du da bist, Asami!

Akihito …
Es spielt keine Rolle, ob es eine Falle ist.
Akihito liegt in meinen Armen und seine Wärme ist alles, was jetzt zählt.

Ah ...
...!

Du bist verletzt, oder? Ich mach das.
FLUTSCH
TSCHUPP
Mh ... Aah ...
TSCH
RUCK
RUCK

Auf Nimmerwiedersehen, Herr Asami.
nocent Eyes – Fortsetzung folgt

Innocent
Eyes

Eines schönen Tages in Asamis Wohnung.
Me... Mein Kürbispudding ist ...
... weg?!
Der Tag, an dem
Akihito Takabas Kürbispudding verschwand
Hör mal Asami
Hast du den Pudding im Kühlschrank gegessen?
Pudding?
RASCHEL
Wovon redest du?
Stell dich nicht dumm! Niemand außer dir und mir isst etwas aus unserem Kühlschrank!
Denkst du wirklich, ich würde so was essen? Keine Ahnung, wer das war.

Gib es zu!

Das war der limitierte Pudding von Kuromarufuku, der jedes Jahr nur in dieser Saison verkauft wird!

Was ich nicht weiß, weiß ich nicht.

STARR

Du störst.

Ich habe mich so sehr darauf gefreut!

PATT

Wenn du ehrlich bist und es zugibst, verzeihe ich dir!

Das ist albern.

Reiß dich zusammen! Du bist kindisch!

Guten Morgen, Herr Asami.
Fahr vor der Arbeit bitte noch am üblichen Laden vorbei.
Was? Zum Frühstück? Was ist mit Akihito Takaba?
Der ist weggelau fen.
Hä? Schon wieder?
Alles in Ordnung.
Der Detektiv, den ich auf ihn angesetzt habe, sollte sich bald melden.
PLING
Er ist gestern mit dem letzten Flug nach Hongkong gereist.

Kirishima! Sag alle heutigen Termine ab!
Lass sofort den Jet startklar machen!
Was?! Jetzt so-fort?!
ran-
n!
Hongkong
Immer wenn irgendwas ist, nennt Asami mich sofort kindisch!
Da ist es mir noch lieber, wenn er mir den Pud-ding stibitzt!
Er mag ja schon etwas
lter sein, aber
ch bin auch er-
wachsen!

Etwas älter, ja? Hi hi hi ...
Du bist wohl der Einzige, der Asami ungestraft so nennen darf.
Danke, dass du dir Zeit für mich genommen hast.
Ich kann mich bei niemandem sonst über ihn auslassen.
Ich freue mich ja, dein Gesicht zu sehen ...
... aber ich glaube, du hast zu viel getrunken.
Wenn du mir gegenüber so wehrlos bist, will ich dich gar nicht mehr nach Hause gehen lassen.
Kommst du heute Nacht mit in mein Schlafgemach?
MNH MNH
SCHNARCH
Oh, bist du eingeschlafen?
BAMM

ばっ
WUPP
Du bist unhöflich.
Wir haben gerade nett etwas miteinander getrunken.
Er hat dir sicher Mühe bereitet.
ch werde ch irgend- ann revan- chieren.
STAMPF
STAMPF
Will ich wissen, wie er sich revanchieren wird?
STAMPF

KRIEK
Mh ...

Hä ...?
Was ...?!
Was soll das?!
A... Asami! Wo kommst du her? Was geht hier vor?!
Wo sind wir?!

Wir sind im VIP-Raum des Klub Shion. Na, weckt das Erinnerungen, Akihito?
!!
Du kannst ja meinetwegen ausreißen und vor mir weglaufen ...
... aber dass du ausgerechnet bei Feilong Unterschlupf suchen würdest ... Offenbar unterschätzt du mich.
Das verlangt eine Bestrafung.

Ich werde dich daran erinnern ...
... mit wem du es zu tun hast.
Oh nein ... Asami ...
ZUPF
... ist stinksauer!

Au...
Tut es weh? Ich habe ihn doch noch nicht mal angefasst.
ZUCK
Du wirst ja schon hart.
Hah...
Kann es sein, dass du in Wahrheit voller Vorfreude bist?
Hah...
SCHNIP
Gyah!

Uuh ...
Das tut weh!
ZWICK
ZWICK
Mach sie wieder ab!
?!
SIPP
SCHAUDER
Das hier ist
ine Karamellso-
e, die ich speziell
ür dich zuberei-
ten ließ.
Ach ja ...
Du wolltest gern etwas Süßes essen, nicht wahr?
Ich werde dir eine Kostprobe geben.
BWWWW
Dein Mund hier unten darf auch mal probieren.
Mh ...
FLUTSCH
TSCHUPP
TSCHUPP
TSCHUPP
Ah ...
Uh ...
Aah ...

Uh ...
TSCHUPP
Uh ...
TSCHUPP
Was sagst du? Schmeckt es?
Uuh ... Ni.....
Das tut weh ...
Mh ...
ZUCK
Ach so? So gierig, wie du ihn einsaugst, hätte ich gedacht, du genießt es.
ZUCK
Ah ...
GUTSCH
GUTSCH
Ah ...
GUTSCH

SST
Da... Das stimmt ni...
Willst du mal sehen, was du gerade für ein Bild abgibst?
Da! Schau gut hin! Du bist über-all ganz glitschig von der Kara-mellsoße.
PACK
Nei...

Da... Das reicht ...
Zieh das ... Spielzeug raus ...
ZITTER
ZITTER
A... Asami ...
Ich will dich in mir spüren ...
BABUMM
BABUMM
Was, du gibst schon nach?
Herrje, dein Körper ist wirklich lüstern geworden, Akihito.
FLUPP
Ah ...!
ZUCK
Was mache ich nur mit dir?

Mh ...
Ah ...
STOSS
h ...
Ah!
Ah ...
KATSCHING
KATSCHING

Mh ...
STOSS
...!
!!
SCHAUDER
SCHAUDER
Ah .
Aah ...
Asami ...!

Herr Asami.
Der limitierte Pudding, den ich neulich von Ihnen bekommen habe, war wirklich vorzüglich.
Noch inmal herz- ichen Dank dafür.

...

Ach ...
Ich lege das Geschenk zum Jahresabschluss in den Kühlschrank. Oh! Ist das etwa der limitierte Pudding von Kuromarufuku?!
? Ist das ch ein schenk wesen? nnst du hig mit- ehmen.
Einige Tage zuvor ...

in Berg limitierter Puddings ...
DOMP
Du warst also doch der Täter, Asami!
Warum machst du das mit mir?!
Tut mir leid. A.

Nachwort

n Tag! Ich bin's, Ayano Yamane!! Das hier ist Band 11 der *Finder*-Serie! Vielen Dank, dass ihr den Band »Unerreichbar« uft habt!

ray in Abyss-Arc, der im siebten Band, >>Heiße Begierde«, begann, findet nun seinen Abschluss. Der Veröffentlichungs-um war sehr lang und ohne dass ich es gemerkt habe, haben sich in dieser Zeit auch meine Zeichnungen verändert. Manche n sagen, dass ihnen meine Zeichnungen heute besser gefallen, und jeder hat natürlich andere Vorlieben, aber ich bin stets ht, jederzeit die bestmöglichen Zeichnungen abzuliefern. Jedenfalls war es eine bewegende Zeit, in der ich viele verschiedene onen erleben durfte, wie den anfänglichen Enthusiasmus oder die Freude, das, was ich zeichnen wollte, in genau dieser Form tzen zu können. Ich bin selbst überrascht, was für einen Berg an Seiten ich inzwischen gezeichnet habe, wenn ich bedenke, ngelig ich wegen des Zeichenstils mit den Bildern war. Dabei dachte ich beim Betrachten meiner groben Vorzeichnungen schon mal, dass die Linien ruhig deutlicher sein könnten. Trotzdem habe ich es bis hierhin geschafft. ntlich hätte ich gerne noch viel mehr romantische und erotische Szenen eingebaut, aber die Gewalt als Story-Element war ch zu prägnant, sodass ich befürchtete, das würde bei meinen Leserinnen und Lesern nicht gut ankommen. halte aber immer wieder Zuschriften von Fans, die Asami und Akihito gern öfter in romantischen und schlüpfrigen Szenen n möchten. Darum möchte ich die beiden auch in Zukunft bei ihren Liebeszoffs zeichnen.

Michels und Feilongs Beziehung hat einen Schritt nach vorn gemacht. Das hat sich zwar anders entwickelt, als ich selbst e, aber ich habe viel Freude daran, die beiden zu zeichnen. Am liebsten würde ich nur ihre Liebesbeziehung zeichnen, ganz Ballereien, aber irgendwie verstricken sie sich immer wieder in Gewalt. Feilong macht in den Sexszenen auch immer so ein hüchterndes Gesicht, als würde er Michel gleich angreifen. Sie wirken wie ein sogenanntes Seme* x Seme-Pärchen. Ich bin sschen besorgt, dass sich Michel immer mehr zu einem verweichlichten Hündchen entwickeln könnte. (lol) Aber ich freue mich darauf, zu sehen, was aus den beiden wird.

ch angefangen habe, kommerziell Manga zu zeichnen, sind schon sage und schreibe 20 Jahre vergangen. Dass ich es hafft habe, Finder so lange fortzuführen, habe ich der Redaktion und meinen Freunden zu verdanken, die mich – immer ich gegen eine Mauer stieß – geduldig unterstützt und ermutigt haben und mir Lösungsstrategien aufzeigten, e dem Einsatz vom Verlag, der Druckerei und der Buchhändler. Vor allem aber auch meinen Leserinnen und n, die mir über Umfragebögen, Fanbriefe oder Social Media ihre Eindrücke zukommen ließen. Meinungen fließen wie Blut durch dieses Werk und haben ihm die heutige Form verliehen.

Weiter

*aktiver Part in homosexuellen Beziehungen

Wenn ich so darüber nachdenke, hat der Untertitel »Unerreichbar« zu meinem Erstaunen eine Nuance, die andeutet, wie weit i mit der Serie schon gekommen bin, und dass dieser Band eine Sammlung von Asamis und Akihitos Gefühlen ist. Ich bin euch unendlich dankbar, dass ihr mich bis hierhin begleitet habt!!

Und endlich habe ich auch das letzte Kapitel von »Pray in Abyss« erreicht. Als ich mit dem Arc anfing, hätte ich nicht damit gerechnet, dass er auf diese Weise endet. Ich war selbst überrascht. Es ist, als hätten die beiden die Zügel übernommen. A es kommt mir so vor, als wären ihre Gefühle zum ersten Mal im Einklang gewesen, das gefällt mir. Eigentlich wollte ich mein Lesern zum Dank dafür, dass sie diesen Arc die ganze Zeit gespannt verfolgt haben, ja ein schönes Ende präsentieren ... Die begeisterten Briefe, die ihr mir geschickt habt, haben für immer einen Platz in meinem Herzen. Mit den Gefühlen meine Leserinnen und Leser, die mir Rückenwind geben, möchte ich nun auch im neuen Arc, der im Frühling gestartet ist, wieder voller Elan mein Bestes geben.

Es wäre mir eine Freude, wenn ihr weiterhin liebevoll über die beiden wacht.

An einem Glückstag im April 2021 Ayano Y

TOKYOPOP GmbH
Hamburg

TOKYOPOP
1. Auflage, 2022
Deutsche Ausgabe/German Edition

Aus dem Japanischen von Diana Hesse

libre

Originally published in Japan in 2021 by Libre Inc.
German translation rights arranged with Libre Inc.
Original Cover Design: Mamiko Saito<Asanomi Graphic>

Redaktion: Lisa Duty
Lettering: Vibrant Publishing Studio
Herstellung: Mathias Neumeyer
Druck und buchbinderische Verarbeitung:
CPI – Clausen & Bosse GmbH, Leck
Printed in Germany

Wir achten auf die Umwelt.
Dieses Produkt besteht aus FSC®-zertifizierten und anderen kontrollierten Materialien.

ISBN 978-3-8420-7380-7

www.tokyopop.de